# 처음, 사랑

달콤쌉싸름한 사랑에 관한 말 150

좋은생각

당신이 사랑하고

사랑받기를 바랍니다.

____________________ 님께

____________________ 드림

001

사랑한다는 것은 천국을 살짝 엿보는 것이다.

마빈 토케이어

002

무슨 일이 있어도 내 곁에서 환한 미소로 웃어 주는 사람이 있다. 그 사실 하나만으로도 무한히 강해진다. 힘이 솟는다.

다카시마 다이

## 003

사랑에 빠질 때 그것이 이뤄질 가능성을 미리 헤아려야 할까? 어떤 계산도 있을 수 없지. 우리는 사랑하기 때문에 사랑하는 거니까.

빈센트 반 고흐

004

사랑한다는 건 그가 빛나길 바라고 돕는 거죠.
그 안에 있는 보물을 발견하도록.

존 고든

005

사랑은 스스로 어떤 사람이 되어야 하는지 보여 준다.

안톤 체호프

## 006

한 사람이 다른 사람을 사랑하는 것. 그것은 무엇보다 어려운 일이고, 궁극적인 마지막 시험이자 증명이며, 그 밖의 일은 모두 준비에 불과하다.

라이너 마리아 릴케

007

다른 사람을 사랑함으로써 우리는 스스로를 더 많이 사랑하게 된다.

리처드 레스택

## 008

진정한 사랑은 둘의 성향을 하나로 합치는 것이 아니다. 아무리 사랑에 빠졌어도 때때로 숨 돌릴 여유가 있어야 하고, 각자 몸을 뻗을 공간이 필요하다.

배르벨 바르데츠키

009

우리는 사랑하는 법과 용서하는 법을 배우며
삶을 완성해 간다.

케리 이건

010

연인에게 신발을 선물하세요. 그런다고 떠나지 않습니다. 원래 연인은 대개 떠납니다. 다양한 이유로요. 미신 때문에 사랑하는 사람에게 근사한 구두와 운동화를 선물할 기회를 놓치지 마세요. 어떤 것도 아끼지 마세요.

정재승

011

모자라면 모자란 그 자체로 아껴 주고 사랑할 때 관계의 잎사귀는 넓어진다.

카를 구스타프 융

012

모든 것의 시작은 나를 바라보는 당신의 깊은 눈에 있다.

찰스 시몬스

013

잊지 마세요. 사랑은 전하는 거예요.

데이비드 에즈라 스테인

## 014

사랑이 주는 만족감을 아는 사람은 좀 더 따뜻하게 말하는 법이지요.

나쓰메 소세키

015

사랑과 공부는 한순간도 낭비가 아니라는 점에서 비슷하다.

호프 자런

016

자기 안에서 누군가를 좋아하는 능력을 발견한 사람은 어떤 발견보다 소중한 발견을 했다고 생각해.

로베르 두아노

017

마음을 열어. 누군가 올 거야. 누군가 널 위해 올 거라고. 하지만 먼저 네가 마음의 문을 열어야 해.

케이트 디카밀로

018

삶에서 누군가를 만나게 되는 것은 운명이 결정하지만, 어떤 사람이 머무르게 될지는 우리의 태도와 행동이 결정한다.

스티븐 예반

019

사랑하는 사람의 숙명적인 정체는 기다리는 사람, 바로 그것이다.

롤랑 바르트

020

사랑하는 사람에게 부족한 점이 있더라도 아끼고 사랑하고 기다려 주어라. 그럴 때 네 사랑이 몇 배로 깊어지고, 누군가를 진정 사랑한다는 가슴 벅찬 충만감을 느낄 수 있다.

대니얼 고틀립

021

잠들 때 늘 서로의 발을 닿게 합니다. 그날 얼마나 화가 났는지, 슬픈지는 중요하지 않아요. 여기 당신과 같이 있고 여전히 사랑한다는 걸 알려 주거든요.

제니 다실바, 매니 다실바

022

혼자서 할 수 없는 일이 있다. 설렘이라는 말을 떠올리는 것 역시 그렇지 않을까. 그러니 나는 누군가를, 누군가는 나를 다시 사랑하면 좋겠다. 두 눈과 두 귀로도 충분히 살 수 있지만, 네 눈과 네 귀로 더 설레는 삶을 즐기면 좋겠다.

김정훈

023

나는 압니다. 누군가를 소유한다는 것은 그를 잃는 것이요, 누군가를 자유롭게 하는 것이 진정 그를 얻는 것임을.

울리히 샤퍼

024

인간의 감정은 누군가를 만날 때와 헤어질 때
가장 순수하며 빛난다.

장 파울 리히터

025

사랑은 목적지가 없다. 사랑 자체를 찾는 여정일 뿐. 사랑은 우리를 강하게, 계속 나아가도록 만든다.

조나 레러

026

당신 인생에서 가장 중요한 여행은 사람을 만나는 여행이다.

헨리 보예

027

사랑은 계속해서 나눌 때 유지될 수 있다. 오로지 자신만을 위한 행복은 그 어디에도 없다.

토머스 머튼

028

싸우지 않는 대화를 위한 첫걸음은 상대방을 바꾸는 것이 아니라 우선 자신을 이해하는 것에서부터 시작해야 한다.

야마사키 히로미

029

상대의 마음은 펼쳐진 책 같지 않다. 서로를 더 잘 이해하는 비결은 상대가 자신의 마음을 솔직하게 털어놓을 수 있도록 공들여 관계를 맺는 것이다.

니컬러스 에플리

030

모든 사랑은 반복을 좋아해요. 그건 시간을 거부하는 것이니까요. 당신과 내가 하는 것처럼 말이에요.

존 버거

031

사랑은 나를 바라보는 법을 알려 주네.

체슬라브 밀로즈

032

가까워진다는 것은 두 사람이 하나가 되는 게 아니다. 상대가 나와 다른 사람임을 인정하고, 그의 감정과 생각과 생활 방식 모두를 존중하는 과정이다.

김혜남

033

받기만 하는 사람은 더 많이, 더 좋은 걸 받고 싶어 한다. 반대로 주는 사람이 되면 작은 것을 베풀어도 즐겁다. 상대가 흐뭇해하면 기쁨이 더 커진다. 주는 사람의 만족도가 훨씬 크다는 뜻이다.

소노 아야코

034

사소하지만 애정 어린 행동이야말로 가장 큰 사랑을 전달할 수 있다. 당신의 사랑을 순간순간에 불어넣어라.

카렌 와이어트

035

내가 만들 수 있는 가장 멋진 나의 모습으로 살 때, 남들에게도 그들만의 가장 멋진 모습으로 살게끔 용기를 북돋아 줄 수 있다.

스티브 마라볼리

036

연애란 슬프고 기쁘고 또한 달콤하다. 이런 감정들은 일상을 살아가는 데 꼭 있어야 하는 것은 아니기에 사치스럽다. 나는 마음의 사치를 아는 사람이 좋다.

야마다 에이미

037

사랑은 사라질 운명을 인정하면서도 영원을 믿는 고백이다.

로버트 롤런드 스미스

038

사랑을 하면 우리는 하찮은 풀도 사랑하게 된다. 헛간도, 가로등도 그리고 밤새 발길 끊긴 작은 마을도.

로버트 블라이

039

적당한 거리를 유지하면서 성장하는 것, 변화하고 삶을 공유하는 것. 이제 우리는 사랑하는 법을 아는 거겠죠?

영화 〈그녀(Her)〉

040

사람들은 중요한 사실을 놓칩니다. 상처 난 마음이란 바로 열린 마음이라는 사실 말입니다. 치유될 수 있고, 달라질 수 있고, 새로워질 수 있고, 새로운 사랑을 품을 수 있는 마음이란 뜻이지요.

제이슨 그린

041

이야기를 들어 주는 일이 사랑하는 행위와 얼마나 비슷하냐면, 보통 사람은 그 둘을 거의 구분할 수 없을 정도다.

데이비드 옥스버거

042

사랑은 고통을 유발하지 않는다. 사랑 반대편에 있는 소유에 대한 감각이 고통을 유발한다.

생텍쥐페리

043

서로 사랑하면서 헤어진 자들은 고통 속에서 살지 모르나 그것은 절망이 아니다. 사랑이 존재한다는 것을 그들은 알고 있을 것이다.

알베르 카뮈

044

내가 사랑을 노래하려고 할 때마다 사랑은 고통이 되었고, 고통을 노래하려고 하면 고통이 사랑이 되었다.

프란츠 슈베르트

045

가장 행복한 순간을 떠올려 보면, 무엇을 더 많이 가지고 누릴 때가 아니라 누군가와의 관계에서 서로 소중한 존재라는 것을 느낄 때다.

박연숙

046

사랑은 결정이 아니다. 누구를 사랑할지 결정할 수 있다면 훨씬 더 간단하겠지만 마법처럼 느껴지지는 않을 것이다.

트레이 파커

047

누군가를 사랑하는 일은 늘 슬픔을 품는 일이기도 합니다.

와카마쓰 에이스케

048

기다리는 것. 처음부터 온전한 것이 아니라 온전할 때까지 참아 주는 것. 못 쓰게 된 그릇에 흙을 담아 가지 친 꽃가지를 심었는데 오늘 와서 보니 가지에서 꽃이 피어났습니다. 제 몫을 할 때까지 기다려 주는 사랑, 그것이 바로 온전함이 아닐까요.

최일도

049

사랑은 기쁨, 열망, 낙담, 그 모든 것을 함께 나눌 때 온다.

레온 유리스

050

사랑에 빠지는 건 구멍에 빠지는 것과 달라요. 우주 공간으로 빠져드는 느낌입니다. 나만 사는 별에서 뛰어내려 다른 사람의 별을 방문하는 거죠. 그곳의 모든 게 달라 보여요. 꽃, 동물, 사람들이 입은 옷 색깔 모두.

재닛 윈터슨

051

우린 모두 각기 다른 얼굴이지만 사랑에 빠졌을 때만은 같은 얼굴이다.

영화 〈나의 사랑, 그리스〉

052

결혼은 계약이 아니라 언약입니다. 언약은 자신보다 다른 사람의 유익을 위해 맺으며, 변함없는 사랑과 헌신으로 이루어지며, 대면과 용서를 통해 견고해집니다.

김성묵

053

참된 애정이란 멀리 떨어져 있어도, 아무런 이익이나 기쁨을 얻지 못하더라도 상대에게 언제까지나 마음을 내주는 힘이다.

다사카 히로시

054

사랑한다는 것, 다른 이의 유일성을 미묘하고
날카롭고 결코 잊을 수 없이 의식한다는 것.

수전 손택

## 055

한 사람을 사랑하는 건 사과 하나를 남겨 두고 그가 돌아오기를 기다리는 것이다. 추운 밤 그의 컵에 물을 부어 주는 것이다. 그가 그릇 씻는 소리를 즐겨 듣는 것이며, 그가 미처 깨끗하게 마무리 짓지 못한 그릇을 한 번 더 씻어 내는 것이다.

장효풍

056

사랑하고 사랑받는 일에 시간을 할애하기 시작할 때에야 비로소 아름다움이 삶을 채운다. 그제야 우리 마음속에서 무언가 춤추기 시작한다. 바로 행복이다.

마리아 노보

057

사랑하는 사람에게는 언제나 사랑의 말을 남겨 놓아야 함을 나는 배웠다. 어느 순간이 우리의 마지막이 될지 아는 사람은 아무도 없으므로.

샤를 드 푸코

058

사랑한다는 것은 한 사람이 그로 온전히 살게끔 하는 것이다.

윌리엄 폴 영

059

진정한 사랑은 기쁨을 가져다준다. 몇몇 순간만이 아닌 대부분의 시간에. 진정한 사랑은 당신의 목소리나 자존감 또는 존엄성을 버리라고 요구하지 않는다.

오프라 윈프리

## 060

더 많이 사랑해서 약자가 되는 것이 아니라 마음에 여유가 없어서 약자가 되는 거야. 내가 준 것을 받으려고 하는 조바심. 나는 사랑했으므로 행복하다, 괜찮다. 그게 여유지.

드라마 〈괜찮아, 사랑이야〉

061

모든 사랑의 행동은 서로에게 영감을 불어넣는다.

밸러리 카우르

062

사랑하는 사람은 하나의 시선, 한 번의 악수, 실낱같은 희망을 담은 대답만으로도 용기를 얻는다.

앙드레 모루아

063

머리가 아닌 마음에서 나오는 사랑은 모두 진실하고 아름답다.

비사리온 벨린스키

064

사람의 마음을 얻으려면 충격적이고 독특한 것을 주려고 애쓰지 말라. 그냥 따뜻하고 좋은 것을 주면 된다. 좋은 것만이 영원히 남는다.

팀 페리스

065

사랑이란 세상에서 가장 다정한 꿈을, 가장 내밀한 희망을, 가장 깊은 두려움을 나누는 것.

토머스 쿡

## 066

때로는 사랑하다가 균형을 잃지만 그래야 더 큰 균형을 찾아가는 거야.

영화 〈먹고 기도하고 사랑하라〉

067

'사랑'의 원래 뜻은 '생각'이었다고 합니다. 누군가를 사랑한다는 것은 그 사람을 오래 생각한다는 것. 그래서 옛날 사람들은 생각한다는 것을 곧 사랑한다고 했습니다. 그리스나 로마 사람도 그랬습니다. 그들은 '진실'의 반대말을 '거짓'이 아니라 '망각'이라고 했거든요.

이어령

068

사랑이란 상대방 덕분에 나 자신을 좋아하게 되는 것이 아닐까? 사랑은 타인을 통해서 나의 어떤 모습을 긍정하는 일이다.

히라노 게이치로

069

머리와 입으로 하는 사랑에는 향기가 없다. 진정한 사랑은 이해, 포용, 자기 낮춤이 선행된다. 사랑이 머리에서 가슴으로 내려오는 데 칠십 년이 걸렸다.

김수환

070

그리움보다 넓은 공간은 없고, 그 그리움에 견줄 만한 우주는 없다.

파블로 네루다

071

남에게 평범한 존재가 내게 특별할 수 있는 이유는 나와 맺은 관계 때문이다. 평범한 존재는 나와 관계 맺음으로써 특별해진다.

장유승

072

이름을 불러 주세요. 그 순간 상대는 자신의 가치를 깨닫고 살아가는 기쁨을 느낍니다.

와타나베 가즈코

073

한편으로 사랑은 약점에 관한 것, 상대방의 허약함과 슬픔에 감응하는 것이기도 하다.

사무엘 울만

074

소통에서 가장 중요한 건 상대방이 말하지 않는 소리를 듣는 것이다.

피터 드러커

## 075

나도 알아. 서로를 진정으로 이해하기란 거의 불가능하겠지. 정답은 시도에 있는 거야.

영화 〈비포 선라이즈〉

076

사람의 준말이 삶이다. 우리 삶은 사람과의 관계로 이루어져 있다. 가장 아픈 상처도 사람이 남기고 가장 큰 기쁨도 사람으로부터 온다.

신영복

## 077

우리가 그리워하는 것은 익숙한 존재 자체가 아니라 서로를 알아봐 주고 인정해 주는 것. 비록 보잘것없다고 해도 서로의 삶에 도움이 되도록 지지해 주는 것이다.

앤서니 스토

078

서로 공감할 때 사람과 사람의 관계는 보다 깊어진다.

오쇼 라즈니쉬

079

사랑하는 대상을 끊임없이 살피고, 동시에 나를 자유롭게 하기. 이것은 시를 쓰고, 사진을 찍고, 그림을 그릴 때 그리고 사랑을 할 때 적용되는 마음인 것 같다.

문보영

080

우리를 사랑하는 사람들에게 우리가 행복하다는 것보다 더 좋은 일이 있을까?

미키 기요시

081

자신을 인정하면 상대를 인정하기도 쉬워진다.

네모토 히로유키

082

사랑을 키우는 방법을 모르면 좋은 관계도 곧 시들해집니다. 소통으로 그것에 다시 생기를 불어넣을 수 있습니다.

틱낫한

083

나에게 관심을 보이는 사람, 내가 잘 지내는지, 어디에 있는지, 무엇을 하는지 몇 번이고 물어 주는 사람이 있다는 것은 얼마나 큰 행복인가.

빌헬름 슈미트

084

비록 이룰 수는 없었지만 누군가를 사랑하고, 그로 인해 아파한 시절이 있다는 건 참 행복한 일이다. 그 쓰라림 없이 어찌 오늘의 내가 있겠는가.

이정하

085

관계란 자신이 한 만큼 돌아오는 것이네. 먼저 관심 갖고, 다가가고, 공감하고, 칭찬하고, 웃으면 그 따뜻한 것들이 나에게 돌아오지.

레이먼드 조

086

대부분의 사람은 관계의 질을 타인에게서 찾으나 수천 명을 만나 본 결과 답은 하나다. 내가 좋은 사람이어야 좋은 사람을 만난다. 그리고 그 시작은 '나를 얼마나 아는가?'라는 물음이다. 나는 어떤 사람인가. 내 콤플렉스는 무엇인가. 내 욕망의 이유는 무엇인가. 더 나아가 나는 어떤 연애, 어떤 결혼 생활을 꿈꾸는가. 이 질문에 깊이 고민해야 자신과 맞는 짝을 만날 수 있다. 그 사람이 좋은 사람이다.

조지희

087

사랑한다는 건 상처받을 각오를 한다는 뜻.

클라이브 스테이플스 루이스

088

꽃을 사랑한다고 말하면서도 꽃에 물을 주는 것을 잊어버린 사람을 본다면 우리는 그가 꽃을 사랑한다고 믿지 않을 것이다. 사랑은 사랑하는 자의 생명과 성장에 대한 우리의 적극적인 관심이다.

에리히 프롬

089

어느 경우든 처음부터 마지막까지, 사랑이란 돌보는 것이다. 상대를, 관계를 돌보며 또한 자신을 돌보는 것.

미셸 퓌에슈

090

사랑은 눈에 보이지 않을 때 더 선명하다.

법정

091

나는 '다른 사람으로부터 사랑받는 방법'에 대한 원고를 청탁받았을 때 다음과 같은 간결하면서도 확실한 한마디를 써 주었다. "먼저 사랑하시오."

마를레네 디트리히

092

곁을 지켜 주어라. 기꺼운 마음으로 경청하라. 거기 머물러라. 맨 마지막에 남는 것은 사랑뿐이다.

메건 더바인

093

슬픔은 한 번 더 사랑하라고 우리를 부추긴다.

테리 템페스트 윌리엄스

094

행복을 찾아 나서는 모든 여정은 결국 사랑을 찾는 길이다.

존 월션

095

이른바 사랑을 경험하려면 당신 주변의 사물과 사람들이 지닌 독특함과 아름다움에 민감해야 합니다.

앤서니 드 멜로

096

그대가 나를 행복하게 하고 싶을 땐 그대를 행복하게 하는 게 무엇인지, 그대가 필요로 하는 게 무엇인지 생각하세요. 그대는 나의 그림자이고, 나는 그대의 그림자이기 때문이에요.

캔 루이스

097

한 사람이 다른 사람에게 중요해지는 것, 다른 모든 존재 중에서 내게 중요한 하나의 존재가 되는 것. 이게 바로 사랑의 핵심이다.

니나 상코비치

098

인생은 살아가는 시간 속에서 나눠 준 사랑이 돌아오는 과정입니다.

야마다 레이지

099

우리는 좋거나 나쁘다고 말하는 것으로 생각하기를 끝내 버린다. 그러나 사랑은 열등한 것과 월등한 것에 대한 감각을 허물어뜨린다.

지두 크리슈나무르티

## 100

세상을 보고, 무수한 장애물을 넘어, 벽을 허물고, 더 가까이 다가가, 서로를 알아 가고 느끼는 것. 그것이 바로 우리가 살아가는 인생의 목적이다.

영화 〈월터의 상상은 현실이 된다〉

101

신뢰 없이는 사랑을 주고받을 수 없다.

게리 주커브

102

누군가의 이야기를 듣는 건 그 사람이 말하는 동안 그의 입장이 되어 보는 것이다.

시몬 베유

103

기꺼이 원했던 건 손을 내미는 것.

영화 〈누벨 바그〉

104

인생 최고의 기쁨은 자신이 사랑받고 있다는 확신에서 온다. 좀 더 정확히는 자신의 모습에도 불구하고 사랑받고 있다는.

빅토르 위고

105

사랑보다 소중한 것, 그것은 사랑하는 사람.

토니 모리슨

106

상처 주지 않고 사랑하기란 얼마나 어려운 일인가, 소리 없이 아픔을 감싸 준다는 것은 얼마나 아름다운 일인가.

이철환

107

난 당신에게 세상을 구원하라고 요구하지 않는다. 다만 당신에게 함께 잠을 자고 밥 먹는 그 사람을 최선을 다해 사랑하라고 할 뿐이다.

잭 캔필드

108

서로를 이해하기 위해서는 어느 정도 닮은 데가 있어야 하지만 서로 사랑하기 위해서는 얼마만큼 다른 데가 있어야 한다.

폴 제랄디

109

특별한 사람은 어느 날 축복처럼 하늘이 보내주는 것이 아니다. 당신이 그에게 특별한 추억을 허락할 때, 그는 비로소 특별해진다.

그레이스 정

110

인생에는 좋았던 순간에 집착하며, 사라지는 것을 미리 두려워하고 서글퍼하는 것과는 다른 길이 있기 마련입니다. 우리는 그 길을 배워야 합니다.

영화 〈화양연화〉

111

우리처럼 작은 존재들에게 우주의 광막함을 견딜 수 있게 해 주는 건 오직 사랑뿐이다.

칼 세이건

112

우리는 모두 불완전하다. 사랑은 오히려 우리가 불완전하기 때문에 더 깊어진다.

크레이그 데이비드슨

113

아주 작은 배려라도 좋아요. 그것들이야말로 사랑의 실체랍니다.

조안 리

114

함께 산다는 것은 예술 작품입니다. 매력적이고 아름다우며 계속되는 여정입니다. 이 여정에는 지켜야 할 세 가지가 있습니다. "해도 될까요?" "고마워요." "미안해요."

프란치스코

115

사랑해서 함께한 게 아니야. 더 사랑하려고 함께하는 거야.

영화 〈업〉

116

인생에서 내가 배운 것을 몇 마디로 말하자면 다음과 같네. "누군가 날 사랑해 주는 날, 그날은 날씨가 아주 좋아!" 나는 이보다 멋진 표현을 모른다네.

장 가뱅

117

건강, 책, 일 그리고 여기에 사랑이 더해진다면 운명이 주는 모든 괴로운 고통과 아픔도 견딜 만해진다.

엘버트 허버드

118

사랑하는 사람은 이해하고, 이해하는 사람은 사랑한다.

폴 투르니에

119

사랑은 자신에게서 흘러나와 돌아가는 법이 없다. 그것은 실패하든 성공하든 탐험을 계속한다.

허버트 조지 웰스

120

한 방향으로 깊이 사랑하는 것은 우리로 하여금 다른 모든 것을 더 사랑하게 만든다.

안네 소피 스웨친

121

사람의 인생이 하나의 풍경이라면, 누군가가 건넨 친절과 사랑은 잊히지 않는 기억의 의자가 된다.

엘리자베스 퀴블러 로스

122

사랑의 첫째 의무는 듣는 것이다.

파울 틸리히

123

말이 입술에서 떠나기 전에 사랑에 잠시 적셨다가 꺼낸다면, 우리의 인간관계는 얼마나 좋아지겠는가?

안드레아 가드너

124

내가 아는 모든 것은 사랑하기 때문에 알게 된 것이다.

레프 톨스토이

125

삶의 모든 길은 두려움에서 사랑으로 나 있다.

프레데릭 르누아르

126

짙은 안개가 끼고 비가 내릴지라도 사랑만 있으면 다시 햇살이 비친다.

조지 맥도널드

127

사랑할 때 사람들은 다른 어떤 때보다 훨씬 잘 견딘다. 사랑이라는 이름으로 모든 걸 감수하는 것이다.

프리드리히 니체

128

나는 내가 숨 쉬는 곳이 아니라 내가 사랑하는 곳에서 산다.

로버트 사우스웰

129

참된 사랑이란 있는 그대로의 상대방을 사랑하는 법을 익혀 가는 것이다.

존 그레이

130

누군가에게 깊이 사랑받으면 힘이 생기고 누군가를 깊이 사랑하면 용기가 생긴다.

노자

131

이 세상에서 가장 순수한 기쁨은 다른 사람의 기쁨을 보는 것이다.

미시마 유키오

132

세상이 각박해지면 사람들은 안전한 장소를 확보하려고 한다. 그 때문에 공부를 하고 기술을 배우고 돈을 번다. 하지만 우리의 유일한 안식처는 서로의 선한 마음 안에 있다.

레이첼 나오미 레멘

133

우리 각자의 영혼은 그저 작은 조각에 불과해서, 다른 사람들의 영혼과 합쳐져 하나가 되지 않으면 의미가 없다.

존 스타인벡

134

그 사람의 현재 모습만이 아니라 과거와 미래를 모두 고려해야만 그에 대한 올바른 이해에 도달할 수 있다.

김동규

135

사랑은 서로를 어루만지면서 변합니다. 경직되고 냉혹했던 사람을 다시 태어나게 합니다.

안셀름 그륀

136

진정한 사랑은 자신을 압도하는 감정이 아니다. 스스로 맹세한, 사려 깊은 결정이다.

모건 스콧 펙

137

우리는 사랑이 계속 살아서 움직이도록 해야 한다.

파커 파머

138

어떤 사람과 친해지려면 그에게 시간을 내줘야 한다. 함께 보내는 시간이 없으면 친밀함이 생길 수 없다. “사랑은 시간을 내주는 것이다.”라는 말도 있다.

이무석

139

사랑은 부탁할 필요도, 요구할 필요도 없다. 자기 안에서 확신에 도달하는 힘이 있어야 한다. 그러면 사랑은 더 이상 이끌려 다니지 않고 이끌게 된다.

헤르만 헤세

140

어둠은 나무와 꽃들을 우리 눈에서 감추어 버릴 수 있을지 모른다. 그러나 우리의 영혼으로부터 사랑을 감출 수는 없다.

칼릴 지브란

141

사랑은 사람을 치료한다. 사랑을 받는 사람, 사랑을 주는 사람 할 것 없이.

칼 메닝거

142

시간과 더불어 열매 맺는 것은 과일만이 아니다. 사랑도 그렇게 익어 간다.

밀란 쿤데라

143

한 번의 만남이라도 소중히 여기는 마음, 이것이야말로 사람과 사람 사이의 관계를 후회하지 않게 만드는 최고이자 최선의 방법이다.

오츠 슈이치

144

사람은 자기 자신에게 이방인이 되면 남과도 소원해진다. 자기 자신과의 접촉이 없는데, 어떻게 남과의 접촉을 기대할 수 있겠는가.

앤 모로 린드버그

145

옳고 그름의 생각 너머에 들판이 있다. 거기서 그대를 만나리라.

잘랄루딘 루미

146

오직 더 사랑할 때 상처는 치유될 것입니다.

테레사

147

우리의 삶을 살 만한 것으로 만드는 건 고립된 자신을 벗어나 손을 뻗어 서로에게서 힘과 위안과 온기를 발견하는 능력이다.

마사 베크

148

외롭기 때문에 사랑하는 것이 아닙니다. 사랑하기에 외로운 것입니다. 먼저 사랑하고 더 많이 사랑하고 가장 나중까지 지켜볼 수 있는 마음을 배우는 것입니다.

조제 바스콘셀로스

149

우리는 모두 삶이라는 긴 여정에서 용기를 북돋아 주고, 일깨워 주고, 영감을 주는 존재를 필요로 한다.

데이비드 브룩스

150

세월이 지나도 식지 않고 날로 깊어지는 건 사랑이었다.

박완서

MEMO

**처음, 사랑**

달콤쌉싸름한 사랑에 관한 말 150

**펴낸날** 2020년 9월 1일 초판 1쇄

**엮은이** 좋은생각 편집부

**펴낸이** 정주안

**펴낸곳** 좋은생각사람들

서울 마포구 월드컵북로22(동교동, 영준빌딩) 2층

**전화** 02-330-0333, 02-333-0329(팩스)

**홈페이지** www.positive.co.kr

**ISBN** 979-11-87033-44-8 00190

**값** 8,000원

이 도서의 국립중앙도서관 출판예정도서목록(CIP)은 서지정보유통지원시스템 홈페이지(http://seoji.nl.go.kr)와 국가자료종합목록 구축시스템(http://kolis-net.nl.go.kr)에서 이용하실 수 있습니다. (CIP제어번호 : CIP2020025986)